KB153414

장승주 시집

딱딱한 생각 깨부詩

– 인생은 뒤집기 한판

목차

책 소개

원래는 출판 하려고 하기보다는 저자가 하고싶은 이야기들을 메모장에 적어놨던 것인데, 그렇기에 내용 자체가 그냥 넣으면 자칫 지루할 수 있는 내용들이 많아 그 부분을 고려해서 약간의 반전을 넣어두었습니다.

다만, 반전이 없는 글들은 그 글 자체에 반전이 들어가면 글의 의미가 퇴색되버릴 수 있었기에 약간 지루하실 수 있는 부분들이 있으나 그 사이 사이에 큰 웃음은 아니지만 피식하고 넘어가실 수 있는 내용들이 있습니다.

오지않는 그대

난 오직 그대만을 기다리고
또 기다립니다.
혹시라도 그대 찾아오는 길을 잃어
헤매고 있진 않을까,
걱정되는 맘에 손에 쥔 휴대전화를 만지작거리다가
괜히 조급해하는 것 같아 조심스레 내려놓았죠
그새 나를 잊기라도 한 걸까?
일 분 일 초 세어가며
온종일 그대만 기다리던 전
결국, 그대 오지 않는 텅 빈 자리를 멍하니 바라보다가
이제는 가야 할 때가 찾아왔기에
혹여. 떠난 자리 그대 찾아오지 않을까,
괜히 걱정되는 맘에. 메모 한 장 남기고
쉽사리 떨어지지 않는 발걸음을 떼어봅니다.

[택배기사님
지금은 부재중이니 경비실에 맡겨주세요.]

일 초라도 더 빨리

도대체 그대가 뭐길래 나를 조급하게 하나요?
조금 전에 통화했는데
다시 전화하면 귀찮아하진 않을까?
하지만 그대 때문에 아무것도 할 수 없는 건 어쩌죠
약속 시각이 아직 한참 남았지만,
일 초라도 더 빨리 그대 만나고픈 이런 내 마음.
부디 알아주길 바라요.
오직 그 마음 하나로 또다시 전화를 걸어
재촉하는 이런 이기적인 나를 이해해요. 그대

"방금 파닭 주문했는데요. 언제 도착하나요?"

당신, 어디 있어요?

그대가 나를 기다리고 있음을 알기에
한걸음에 달려왔건만
아무리 주위를 둘러봐도
그대가 보이지 않네요.
전 화 걸어도 받질 않는 그대에,
혹시 무슨 일이라도 생긴 건 아닐까?
덜컥 겁이 나서
소리 높여 그대를 찾아 나섭니다

"짜장면 시키신 분!?"

미처 다 전하지 못한 말

오늘도 그녀는 내 전화를 받지 않네요.
이별을 노래하는 그녀의 컬러링을 듣다가 문득 가슴 한 쪽이 아려와,
그만 눈물을 흘렸습니다.
놓쳐버린 전화에서 흘러나온 슬픈 감성을 담아 부르짖는 후렴구가
가슴에 차갑게 박혀 들어와 검색창을 열어 노래를 검색해봤습니다.
그때,
"여보세요?"
전화기에서 그녀의 목소리가 흘러나왔고, 저는 짖은 슬픔을 억지로 밀어내고 밝은 목소리로 말했습니다.
"안녕하세요. 갚아 캐피탈입니다. 고객님. 원리금 상환일이 지나서 연락드렸습니다^^"
..
어느새 끊어진 전화를 멍하니 바라보다가 미처 하지 못한 말을 내뱉었습니다.

"컬러링 제일 비싼 거로 바꾸셨던데…."

진리를 쫓는 법

상선약수(上善若水)라,
선 중의 으뜸은 물이라 했던가?
앞을 막으면 멈추어설 줄 알며
또, 돌아갈 앎이라
물은 다투지 아니하고,
사람.
나아가 동식물 모든 만물을 이롭게 하니
물을 선 중의 으뜸이라 칭하는데
누가 감히 아니라고 말할 수 있으랴
그러하니 내 그대에게 말하는 것이다.

"렌탈비는 한 달에 삼만 원밖에 안 해요. 고객님."

으음. 상선약수라.
무릇 물이란 또한 도(道)와 같으니,
정수기를 렌탈하는자,
진리(眞理)를 얻으리라.

함부로 나를 판단하지 마라

스스로도 자신을 모르는데
어찌 그대들이 본좌를 판단하는가
무지(無知)는 죄가 아니나,
그것을 인정하지 않고
날뛴다면
무지(無知)가 죄가 될 수 있다
알겠느냐

"고객님. 그렇게 말씀하셔도 당사심사기준으로는 대출이
어렵습니다."

허어.
신용등급이라.
그렇구나
본좌 또한 무지(無知)함을 인정하지 못하였구나.

무한의 이치

만법귀일(萬法歸一)
만 가지 법이 하나로 돌아가는데
일귀하처(一歸何處)
그 하나는 어디로 돌아가는가?

"암보험 하나 들어두시면 암 진단 시, 수술비와 입원치
료비는 물론 각종 특약과 고객님 사망 후에 가족분들에
게 보험금이 지급돼요."

영원(永遠)
그 하나는 어디로 돌아가는 것이
아니라 끊임없이 흘러가리니,
보아라! 무한의 우주의 이치가 여기 있노라!

아버지가 어머니에게 지는 이유

강함이란 약하지 않기 위해 만들어진 것
때론 강함도 필요하나
강함이 능사는 아니다.

약함과 유한 것은 다르다.
사기종인(舍己從人)
나를 버리고 타인을 따른다.
아순인배(我順人背)
나는 순응하고 타인은 거스름인데
약함은 상대의 거스름에 연연해 하는 것이며
유함은 그것에 연연하지 않는 것이다.

유능제강(柔能制剛)
부드러운 것은 능히 강함을 이긴다.

"그래서 아빠가 엄마한테 지는 거…. 아니 져주는 거야,
알아들었냐. 아들아."

부모님이 계신 줄은 몰랐지?

본능과 감정은 다르다.
본능은 욕망에 휘둘리는 것이고
감정은 그 본능을 절제 할 줄 아는 것이다.
그러나,

"오빠…. 라면 먹고 갈래?"

때로는 본능을 따라야 할 때가 있다.

기호 1번 모기

모기가 나타났다.
벌써 여름이 다가온건가?
피를 빨려는 모기와 그런 녀석을 붙잡으려는 나와의 신
경전
어느 날 모기가 제안했다.
피를 빨게 해준다면 후에 나를 도와주겠노라고.
그리고 나는 그 제안을 받아들였다.
피를 얻어낸 모기는 떠나며 말했다.

"국민 여러분. 저를 뽑아주셔서 감사합니다."

그러나 그는 이전의 제안에 대한 말은 한마디도 하지
않았으며, 그 약속은 끝내 지켜지지 않았다.

이 마음, 이제 다른 누구에게로

깊이 묻어두려 해도
불현듯이 그리고
아련하게 떠오르는 기억들

아무리 오랜 시간이 지나도
잊히지 않는 것은
어쩌면 그 마음이 다녀갔던 자리를
누군가가 기억하고
떠올렸기 때문 아닐까

먼지처럼 바스러져 가던 기억 하나가
불현듯이 그리고
아련하게 떠올랐지만
얼굴도 이름도 기억나지 않는 당신은
그저 바람처럼 내게와 아주 잠시 머물다
스쳐 지나갔던 이였음을

분명 그때 내 마음 모두를 다 주었었는데
언제였는지
그 마음들이 모두 내게로 돌아와 있었다

잊혀진다는 것은
그저 내주었던 마음을 돌려받는 것이 아닌가

그 마음 언젠가

다른 누구에게 주기 위해

"만기상환하신 거 축하드려요. 고객님. 혹시 나중에 추가로 자금 필요하시면 연락해주세요."

이제는 다른 고객님을 찾을 때가 왔구나.

사람이 개가 되는 이유

분명한 것은,
악마(惡魔)는 실제로 존재한다. (實存)
눈에 보이지 않기에 우리는 모르고 지나치나,
그들은 언제나 우리 곁에 있고
악을 속삭인다.

만일 그들이 눈에 보였다면,
악을 속삭이는 것을 알았다면
우리가 그것을 알고 악을 피해갈 수 있을 것을
그들도 알기에,
교묘하게 우리의 눈을 피해
속삭인다.

'그것은 너의 마음이야.'

네가 악한 것이라고,

그러나
그것은 그대의 마음이 아니다.
악마의 속삭임에 휘둘리지 말아라.
만약 그대가 악(惡)을 인지(認知)하고
그것에 휘둘리지 않는다면 그들도 지쳐 떠날 것이다.

"그래. 술이 나쁜 건 아냐, 네가 술을 먹으면 개가 되니까 문제지

미완성 그림(부제, 아버지의 사정)

새하얀 도화지 위에
새겨진 긴 선,
습관처럼 집어 든 지우개
지우려고
그러려고 했는데
물감자욱만 더욱 번지는구나!

누가 제도(製圖) 없이 붓부터 들었던가?

듣는 이 없어
애먼 지우개만 탓하다가
서랍 안에 넣어뒀던 조색판(調色板)을 꺼내 들고
붓을 쥐었네
기왕 이렇게 된 거 그림 한 점 그려볼까?

"그렇게 너희 엄마와 결혼하게 됐지."
"멋지네요. 아버진 그림을 완성하셨군요."

아버지는, 아무 대답도 하지 않으셨다.
그리고 세월에 못 이기시고
돌아가시던 날, 나의 손을 꼭 붙잡고 말씀하셨다.

"이럴 줄 알았으면 화이트로 지울 걸 그랬다."

고슴도치

고민 끝에
한 걸음 내디디면
두 걸음 물러나는 이들
어느새 내디뎠던 한 걸음조차 물린 채
겨우 다시 한 걸음 내딛으려 해도
또다시 물러서는 모습이 떠올라
두려움이 찾아오고 그로 인해
무거워진 다리를 들어 올리기조차 버거운 건,
왜일까

[청소년 상담센터로 도착한 김철수의 메시지]

"어쩌면,"
...

"걷는 법이 잘못된 게 아닐까?"

천종산삼? (부제. 어머니의 사정)

과거에서 낙방하고
울적한 마음 달래려 산에 올랐는데
돌부리에 걸려 넘어지곤
무엇하나 제 마음대로 안 되는구나 한탄하며
일어나보니 돌부리가 돌부리가 아니었더라

만일
과거에서 낙방하지 않았더라면
그래서 산에 오르지 않았다면
백 년 묵은 삼이 내게 왔을까

아니면
과거에서 낙방했기에
그래서 산에 올랐기에
삼을 내려
신령께서 나를 위로하심인가

"그렇게 너희 아버지를 만났지."

"와, 그럼 아버진 천종산삼이었네요."

어머니는 아무 대답도 없으셨다.
그 후 한참 뒤 아버지가 짧은 유언을 남기고 돌아가신

뒤, 어머니가 조용히 한마디 하셨다.

"까보니까 쭉정이더라."

꿈많은 김철수

단풍처럼 물들었으나
그저 이 또한
낙엽이 지듯 떨어지겠지

[사춘기 2년 차에 접어든 아들이 이번엔 게임방송 BJ
하겠다고 선언하는 것을 보며]

응원도 하루 이틀이다. 이 진상아.

비를 피하고 싶어서

한 방울 한 방울 떨어져 내리는 이 비
잠깐의 검색만으로도
이 비가 내릴 것을 미리 알 수 있었을 텐데
그건 단지 귀찮음이었을까
아니면,
어쩌면 외면에 익숙해진 걸까

기상예보처럼,
미리 알 수 있었다면
지금 이 마음이 이리도 답답했을까

비가 내리면
미리 우산을 들고 나가는 사람들 속에
비가 내리면
그저 피해가는데 익숙해진 나는
십이 년의 세월에 굳어진 틀을
깨고 나올 자신조차 없어서
또다시 내리는 이 비를
피해가려한다
...
..
'쟤는 뭔데 시험지 나눠주자마자 자는 거지? 저럴 거면
대체 수능은 왜보러 온 거야?'

나비 어린 시절의 착각

흐르는 시간은 되돌릴 수 없고
지난 잘못은 후회를 부른다

하지만
후회로 인해 주저앉는 일은
진정으로 후회할 일을 만드는 것이다.

지난 잘못을 계단 삼아
밟고 올라선다면
보다 높이 올라설 수 있다.

"제가 비록 15연패 중이지만, 연패를 발판삼아 더 높은
티어로 올라갈 수 있다고 믿습니다."

콜라도 먹었는데….

밤거리를 밝히는 네온사인 사이로
한잔 걸치고 분위기에 취해
비틀거리는 이들
공허한 마음 달래려
사창가를 헤맨들
그 마음이 달래질까

잠깐의 쾌락을 위해
그 공허함은 더 커질 텐데

"공허함 따위 상관없어진 지 오래다.
그저 잠깐의 쾌락이면 충분하지 않은가"
ㅇ ….
오….
.
"오빠!!! 냉동실에 있던 내 아이스크림 오빠가 먹었지?"

그저, 그뿐.

일기장 속에 담긴 십 년

삼백 원짜리 라이터가
십 년을 간직해온 일기장을
태우니
고작 한 줌의 재만 남았더라

수많은 연필이 지나쳐간
한 줌의 재만 남긴 그
일기장 속의 십 년의 추억들은
어디로 가버렸는가

아무리 오랜 세월을 견뎌도
타고나면 그저
한 줌의 재로 남는구나

"어이, 김 씨 모닥불을 보면서 뭔 생각을 그리하는감?
여자친구?"

그저.

"어렸을 때 일기장 속에 숨겨두었던 오만 원이 생각이
나서요."

한 줌의 재만 남았구나.

그냥 맞아.

피부에 긁히고 베인 상처는
연고를 바르면
금방 낫지만

마음은 긁히거나 베이면
점점 더 벌어지고
아물어도 흉이 남는다.

그리고 그 흉을 마주할 때마다
지난 아픔을 다시 떠올리게 된다.

그러니까,

"선생님이 지금 이렇게 널 때리는 것도 이해해야 한다."
아프냐? 나도 아프다.
마음이
…
..
.
?
"네?"

김 기사! 제발 좀!

김 기사
운전 좀 조심해서 하라고
몇 번을 말하는 거야

김 기사
그러다 내 몸 상하기라도 하면
당신이 책임질 거야?

제발 운전 좀 똑바로 해
김 기사

[당신의 자동차가 하는 말]

김 기사! 제발 좀! 2

김 기사
거기서 속도 좀 줄이라고

김 기사
거기서 왼쪽으로 가라고

김 기사
도대체 뭐 하는 거야
내 말이 말 같지 않은 거야 뭐야

제발 말 좀 들어
김 기사

[네비게이션이 하는 말]

똑바로 좀 말해요.

똑바로 좀 말해요
자꾸 돌려 말하지 말고

똑바로 좀 말해요
자꾸 어물쩍 거리지 말고

남자가 도대체 왜 그래요
그렇게 말하면 못 알아들어요
똑바로 좀 말해요

[음성검색]

무슨 말이라도 좀 해봐

저기요
여보세요
도대체 무슨 말이 하고 싶은데요

제발 무슨 말이라도 좀 해봐요
남자가 도대체 왜 그래요
남자답게 하고 싶은 말 하시라고요
진짜 속 터져 죽겠네
어이구

[음성녹음]

함께라면

혼자서도 괜찮아
꼭 둘이 필요는 없어

혼자서도 행복하고
혼자서도 잘 해내고 있는걸

혼자서도 잘하는데
둘이면 얼마나 더 잘할까

혼자서도 행복한데
둘이면 얼마나 더 행복할까

["나랑 듀오 해줄래?"]

이 구역은 우리가 접수했다.

거기 잠깐
미안한데,
이 구역은 우리가 접수했거든?
여길 지나가고 싶다면
통행료를 내라
그럼 곱게 보내줄게.

[고속도로파 톨게이트]

당신을 위한 깜짝 이벤트

뭐야 오빠,
나 차단한 거야?
내가 오빠를 위해 깜짝 이벤트를 준비했는데
이렇게 차단해버리면 어떡해.
너무 한다 정말

[팝업 광고]

제 말 똑똑히 들으세요.

이봐요!
여기다가 주차하시면 어떡해요?
여기 주차하지 말라고 쓰여 있는 거 안보이나요?
지금 당장 차 빼주세요.
그리고 당신 제 말 똑똑히 들어요.
다시 한 번 여기다가 주차하시면
그땐 말로 안 합니다.
가만 안 둘 거예요!
알았어요?

[주차위반 경고장]

내 말이 말 같지 않다 이거죠?

허. 이 사람 봐라?
내가 우습게 보이나,
그때 분명히 두 번 말 안 한다고 똑똑히 말했을 텐데
다시 한 번 주차하시면 가만 안 둔다고.
근데 또 여기다가 주차하셨다 이거죠?
각오는 되셨나요?
짝!

[주차위반 스티커]

오지 않는 내일

처져 있는 커튼 사이로 비집고 들어온 햇빛이 조금 떠 져 있던 눈꺼풀 사이로 거칠게 내리꽂히자,
무심코 몸을 일으킨다.
"그래. 오늘부터 다이어트를 하기로 했지."
비록 지금은 이런 모습이지만, 끈기 하나는 누구보다 끈질기다고 자신한다. 결심했다면 행동으로 실천해야 한 다.
화장실에 들어가 간단한 세수와 양치를 마친 뒤 옷을 갈아입고 현관문을 나섰다.
문득.
"아, 아침밥을 안 먹었지. 참"
다이어트는 식단조절도 중요하다는 이야기를 들었던 게 생각이나, 다시 집으로 들어갔다.
"아, 여보세요? 질풍각이죠? 여기 104동 401호인데요. 짜장면 하나랑. 사천탕수육이랑 팔보채에 양장피 갖다 주세요. 아 짜장면은 곱배기구 나머지는 대자로 갖다 주세요. 그리고 탕수육은 쿠폰으로 결제할게요. 아. 네 빨리 부탁드려요."
뚝.
좀 많은 것 같지만, 다 먹고살자고 하는 것 아닌가. 먹 고 죽은 귀신이 때깔도 좋다는 말이 괜히 있는 게 아니 다.
"뭔가 잊은 거 같은 느낌이 드는데?"

41

아! 다이어트.

뭐,

"내일부터 하면 되지!"

돌아와요, 내 품으로

겨우 잊었는데,
아니 잊었다고 생각했는데
우연히 그대를 보게 된 그 순간
바보처럼 감정하나 제대로 못 숨기고
멍하니 서서 눈물만 흘렸죠
이젠 안 할래요
잊으려고 노력하는 일 따위.
그대가 아무리 내게 상처를 준대도
견딜 수 있으니 다시 내게로 와요.
그대.

"어서 오세요. 미스리 피자입니다. 주문하시겠어요?"

풍월의 의미

시당 개도 삼 년이면 풍월을 읊는다는데
너는 햇수로 따지면 십 년이 넘어가는데
...
심쿵. 애빼시. 존맛탱. 이생망
..
풍월까진 바라지도 않는다.
알아듣게만 사용해다오.

"저기 죄송한데 갑분싸인거 아시죠? 우리 사이에선 이
거 모르면 아싸에요. 인싸 될려면 어쩔 수 없어요. 그리
고 우린 이게, 풍월이거든요?"
시대에 따라 사람과 환경이 변하듯 '풍월'도 변한 것 뿐
이라고요.

재미없지만 의미 있는 농담

머리나 자를까?
무심코 내뱉자 옆에 있던 아버지가 한마디 하셨다.
'머리는 자르지 말고, 머리카락을 잘라. 머리는 자르면
죽어.'
…
갑분싸란게 이럴 때 쓰는 단어인 걸까.

"머리나 자를까?"
아들의 혼잣말에 무심코 대답했다.
"머리는 자르지 말고, 머리카락을 잘라. 머리는 자르면
죽어"
솔직히 내가 생각해도 재미없는 농담이다.
하지만,
"아, 갑분싸 이 분위기 어쩔거에요. 아버지"
"그래요. 여보 너무했다."
20분이라는 식사시간 동안 밥 먹는 것에만 집중하던 가
족들이 처음으로 말을 꺼내는 것을 보니,
의미 없는 농담은 아니었다고 생각한다.

과거는 과거일 뿐

시간을 되돌릴 수만 있다면,
과거로 돌아가 지난 모든 잘못들을 되돌리리라.
그럴 수만, 있다면
어떠한 실수도 하지 않으며
그동안 흘려보낸 모든 것들을 되찾을 수 있을 텐데….
그저 지금의 난,

"야 한 게임 졌다고 너무 실망해 하는 거 아니냐? 점수
야 좀 떨어졌겠지만…. 그깟 점수."

지금의 난 실패자이며 패배자일 뿐이다.

"다시 이겨서 올리면 되잖아. 멍청아"

안전불감증

안전불감증
설마, 내게 일어나겠어.
나는 아니겠지.
했던 일들이 일어났다.
병원과 안전에 대한 많은 보호 물품들이 있기에
오히려 더 안심하게 되고 있었던 게
독이 되었다는 것을 뒤늦게 깨달았다.
뉴스나 신문의 한 페이지를 차지하는 사건·사고들이
대부분 이 안전불감증이 관련되어 있음에도,
그리 크게 신경 쓰지 않았다.
'에이 설마 나한테 일어나겠어?'
그동안 몰랐던, 아니 생각하지 않았던 부분이 있었다.
그 일이 내게 닥치고 나면, 내 주변의 그러니까,
가족부터 친구들에게까지 미치게 된다는 걸.
너무 늦게 알았다.
그러나, 그렇기에 알게 되었다.

"오빠, 나 임신했데."

그러나, 그렇기에 알게 되었다.
그 일에 일어난 것엔 나의 책임도 있기에
스스로 책임져야 한다는 것을.

나무야, 픽! 고마워

나무는 우리에게 많은 것을 준다.

글을 쓰는 등 종이로 할 수 있는 모든 일들, 때로는 집과 가구가 되어주고, 생활용품이 되어주기도 한다.

비단 나무만 그런 것이 아니다, 산, 바다, 들 지구에 존재하는 모든 것들이 인간들에게 편의를 제공해주고 때로는 삶을 더 풍요롭게 해준다.

아니, 솔직히 그들이 존재치 않는다면, 우리의 삶이 유지가 될지도 의심이 든다.

그만큼 그들은 우리의 삶에 밀접하게 접근해있다.

하지만 가끔 그런 생각이 든다.

약간 이율배반적이긴 한데 이런 그들을 사용하는 것이 너무 당연시되어있는 것 같다는 것이다.

하지 말자는 소리가 아니라, 조금은, 사용할 때만큼만이라도 그 도구의 본질이 되는 존재를 거슬러 올라가 감사함. 정도는 전해주는 게 좋지 않을까,

"와따, 저 청년은 어찌 그리 도끼질을 잘한다냐? 나무를 풀잎 베듯이 베버리는데? 젊음이 부럽구먼"
픽!

나무야, 고마워.

다른 존재가 보는 세상

온통 포장된 도로들 위로 지나다니는 자동차들과 오토
바이들을 보며 생각에 잠겼다.
알아야 한다.
당신들의 편의가 결국 누군가의 편의를 빼앗음으로써
존재한다는 것을 말이다.

"어머, 쟤 좀 봐 너무 귀엽다. 포메라니안인가 봐"

당신들은 이 세상에서 스스로 뭔가를 할 수 있지만,
그 외의 존재들이 스스로 뭔가를 하기에 이 세상은
조금,
냉혹하다.

그리고,

"자동차가 움직이는 게 신기한가 봐, 너무 귀엽다."

그게 당연한 게 돼버렸다는 게 조금 슬프다.

닭의 삶

닭들은 우리에 대해 생각하고 있을까,
우리가 가두고, 사육하고, 결국엔 잡아먹히는 삶.
그것을 그들은 인식하고 있을까,
아니,
어쩌면,
닭들은 태어나면서부터 그렇게 되기 때문에 그게 당연한 삶이라고 받아들일지도 모른다.
왠지 그게 진짜라면 좀 더 슬픈 이야기 아닌가,
차라리 우릴 미워한다면 좋겠다.
미안, 닭아,
이렇게 생각하는 나도 널 잡아먹는 사람 중 하나야.

태어났을 때부터 그들은 우릴 보호해 주었다.
아무것도 하지 않음에도 배불리 먹을 수 있도록 식량을 제공해주었으며, 병에 걸리지 않도록 보호해 주었다.
그렇기에
"와 이 닭 진짜 맛있게 생겼다. 아저씨 쟤로 주세요."
원망하지는 않는다. 아니 오히려 다행이라고 생각한다.
그것으로 그동안 편안히 살 수 있도록 보살펴준 보답을 한다고 생각하며.
"이 치킨 정말 맛있네."
그저 그들의 양식이 되어서. 기쁨을 줄 수 있다면.
그것으로 충분하리.

조급함으로써 얻는 것

기다린다는 것은 지루할 때가 많지만 그러면서도 즐거울 때가 있다.

이 기다림이 끝나고 나면 얻게 될 무언가를 생각하고 있으면, 상반된 두 감정을 느끼곤 한다.

그것을 보다 빨리 얻고 싶은 조급한 마음과 곧 얻게 됨을 알고 있기에 그것에 대해 상상을 하며 여유를 부리는 감정, 보통은 여기서 조급한 마음을 버리는 게 좋겠다고 말하겠지만, 내 생각은 다르다.

때론 약간의 조급함이 시간을 절약하기도 하고, 조급함에서 얻게 되는 성취가 있게 마련이다.

"그렇다고 해도 이건 좀 너무하시네요. 5분 전에 주문하셔놓고 배달이 안 온다고 뭐라 하시면 저희는 어떻게해야 합니까?"

다만 극단적일 필요는 없겠지.

내가 조급함으로써 얻게 된 것은 우습게도 여유다.

너 무슨 불만 있냐?

그대 힘든 것 아픈 것 모두 이해하나
불만 있으면 말을 해주길 바라네
불만 있다는 것은 결국
스스로에게서 시작된 일이지만,
때론 주변인의 도움을 받는다면
쉽게 이겨낼 수 있음을 알고 있는가

"돈이 없으면 말을 하지, 형이 담배 하나 못 사주겠냐?"

이제 넌 내꺼야

조심스럽게
너의 품으로 다가갈래

조심스럽게
선물을 놓고 올 거야

분명 깜짝 놀라게 될 거야
그 순간부터 너의 모든 게
내 것이 되어버렸다는 것에

[해킹 프로그램]

"아, 바이러스 걸렸어."

소개팅

저 얼굴 나이 이런 거 안 따지고요
근데 직장은 어디 다니시는데요
연봉은 얼마나 되시고요
아 혹시 집은 있으세요?
아…. 다 없으시구나
저기 죄송한데 처음부터 말하려 했는데
그쪽 제 스타일 아니세요.
죄송합니다
라고 말하고 자리를 박차고 나간 그녀를 보며,
이 자리를 주선해준 지인에게 전화를 걸었다.

"이거 소개팅이 아니라 대출상담 자리였나요?"

돈 좀 빌려주세요.

저기요
정말 죄송한데
혹시 잔돈 있으시면
그거라도 좀 빌려주실 수 있나요?
제가 너무 배가 고파서 그래요

부탁입니다
빌려주시면 나중에 꼭 갚겠습니다

[돼지저금통]

싫은데?

나쁜 놈
모든 걸 다 주면서
그렇게 잘해줄 땐 언제고
이제 와서 모두 돌려달라고?
줬다가 다시 뺏는 게 어딨어.
못 줘! 아니 안 줘! 배 째라고 해!

[초심을 잃은 돼지저금통]

목이 마른 노인

이보게. 자네.
부탁하나만 함세.
이 늙은이가 목이 말라 그러는데
물 한 잔만 얻어 마실 수 있겠는가?
..
.
"철수야~화분에 물 줬니?"
"네. 방금 줬어요."
안 줬잖아…. 임마!

다른 사람 곁에서

나는 여기 이 자리에 그대로 있는데
당신은 어디 있나요
그녀가 그렇게 좋은가요
이럴 줄 알았으면 조금 더 잘해줄걸
조금 더 내 매력을 보여줄 걸 그랬나 봐요
이제 곁에 없는 당신이 그녀와 웃고 떠드는걸
바라볼 수밖에 없는 나 자신이 너무 미워요

"어? 철수 핸드폰 바꿨네?"

그리고 많은 시간이 흐른 지금.

"야, 전에 쓰던 핸드폰은? 그거 안 쓰면 나 줘라."

나는 당신과 닮은 사람 곁에서 당신의 모습을 찾고 있어요.

복잡하게 얽힌 우리

이제는 더는 풀 수도 없을 만큼
복잡하게 얽히고 뒤엉켜버려서
도무지 어떻게 해야 할지 감도 안 와
그래,
이제는 그만 놔주려고 해.
안녕,
안녕
"얼 철수, 블루투스 이어폰 샀네!"
안녕.
"어 이어폰 자꾸 꼬이니까 불편해서"

우리 이제 시작해요.

시간이 흘러
당신을 다시 우연히 만나게 되었다.
그때 그렇게 끝났지만
혹시 당신도 나처럼 후회하고 있었다면,
좋은 감정이 아직 남아 있다면,
이제는 시작해도 되지 않을까요
그러니,

"보험 하나 드세요"

미안해요. 난 멀쩡한걸요

아니라고 말하라며
그대가 나를 짓밟는다 해도
내 어깨에 짊어진 그 무게가
나를 짓누르는 이 순간
거짓을 말하지 못하는 나를
그대 부디 용서해요

"구십…? 엄마! 체중계 고장 났나 봐!"

기부 천사 김철수

또 찾아주셨네요. 철수 씨
요즘 같은 불경기에
이렇게 정기적으로 기부해주시는 착한 분이 계셔주셔서
정말 큰 도움이 되고 있습니다.
감사합니다.
아, 벌써 가시게요?
네 한 달 뒤에 또 뵙겠습니다.

"누구예요? 방금 나간 분이 누구길래 트레이너님께서
이렇게 깍듯하게 대하시는 거예요?"

"있어, 한 달에 한 번 우리 헬스장에 기부하러 오시는
분"

아아, 착한 분이셨구나

그대가 온다

멀리서 그대가 오네요
두근두근
들리나요. 내 심장이 뛰는 소리
왜 당신만 보면 두근대고
가슴이 답답해지는 것인지
멀리서 그대가 오네요
내게로

"아저씨 한 시간 정액권 끊어주시고요. 컵라면이랑 단무
지 자리로 좀 갖다 주세요. 그리고 오실 때 물도 좀 갖
다 주세요. 게임 중이니까 방해 안 되게 조심히 갖다
주시고요."

막장 드라마

너 어제 그 드라마 봤니?
안 봤다고?
글쎄 주인공이 애를 낳았는데
갑자기 어떤 정신 나간 여자가 와서
그 애가 자기 애라고 우기는 거야
근데 더 웃긴 건 그 여자 가족들이야.
말리기는커녕
그 여자 말을 거들더라니까?
진짜 듣기만 해도 어이없지?
너처럼?

"그치, 섬나라야?"

ㅡ독도가

지기만 해봐

오늘도 차였다.
그래도 괜찮아.

많이 아팠을 때도 있었지만
이제는 괜찮아.

그로 인해서 다른 사람이 행복하다면
그래서 괜찮아.

"골! 골입니다. 대한민국이 선제골을 터트렸습니다!"

날 대신해서 행복해해 줘.
그걸로 괜찮으니까.

또 김철수

잊어버렸다.
뭐가 중요했었는지

뭐가 중요했었는지
떠올랐을 때는
늦어버렸다.
너무나도

"숙제 안 해온 사람 손들어"

그대 떠나고 난 빈자리

미안합니다.
당신은 제게 너무나도
많은 것을 주었는데
그래서 더 미안합니다.
당신을 떠나야만 한다는 게

이렇게 떠나지만
정말 행복했었다고
후회는 없었다고
말해주고 싶어요
그러니 부디 나를 잊어요

[잔액: 297원]

"어제 월급날이었던 거 같은데, 아닌가?"

물론 그의 말도 거짓이겠죠

끝내 그녀는 그를 선택했다.
그녈 붙잡곤 물었다.
도대체,
그를 선택한 이유가 무엇이냐고
왜 그여야만 했냐고
그녀가 말했다.
그의 말이 가장 그럴싸했다고
하지만 동시에 덧붙였다.

[출구조사]

아, 아 마이크 테스트

"본교에 입학하게 된 것을 진심으로 축하드립니다."
짝짝짝

끝난 줄 알았냐?

"그리고"
아직 안 끝났다.

어차피 내 말 안 듣는 거 알지만
그래도 한 명쯤은 귀 기울인다는 거
솔직히 중간에 끝낼 수 있어.
그 한 명을 위해 계속하는 것뿐

"그리고"

끝난 줄 알았냐?
아직도 안 끝났다.

꺼지란다고 진짜 꺼지네?

솔직히 귀찮잖아요?
그러니까 당당하게 말해요
귀찮게 좀 하지 말고
그냥 꺼지라 그래요
그것도 귀찮으시면 전화로 하든가요.

"음성인식과 휴대폰 터치 하나로 껐다 켤 수 있는 스마
트 전등 스위치! 지금 바로 구매하세요."

경쟁과 자존심의 관계

쑥스럽고
민망하고
괜히 이렇게까지 해야 하나

괜히 이렇게까지 해야 한다.
누가 먼저 채가기 전에

"자 싱싱한 고등어 있습니다!"

어머, 지금 뭐하시는 거죠

어머. 이봐요!
지금 뭐하시는 거예요?
자꾸 어딜 만지시는 거예요.
그리고 그쪽이 방금 몰래
사진 찍는 거 다 봤거든요
당장 사진 지워주세요

[박물관이 살아있다.]

당신을 알고 싶은 이유

저기요
이름이랑 연락처 좀 알려주세요.

왜긴요
당신이 누군지 궁금하니까 그렇죠

사실 당신이 뭐 하는 사람인지
어디에 사는지도 궁금한데
일단 당신이 누군지 알고 나서
차근차근 더 알아가도록 해요.

"아 진짜 회원가입 한 번 하기 되기 어렵네"

우리도 살아있다.

어머 애 저기 좀 봐
쟤들 지금 뭐 하는 거래
부끄럽게끔
우리가 보고 있는 것도 모르나 봐
아니면 알면서도 저러나?
하여튼 요즘 사람들 대단해.

"오빠, 저기 나무가 움직인 것 같지 않아?"

앗, 들킨 건가?

"무슨 소리야 나무가 어떻게 움직인다 그래."

수상한 아저씨

안녕? 꼬마야
아저씨는 너희 엄마, 아빠랑
무지 친한 아저씨야
아저씨가 맛있는 거 줄 테니까
이리 좀 와볼래
아, 아저씨 착한 사람이니까
걱정하지 말고 이리 와서 이것 좀 먹어봐.

"아이고 아저씨 바늘에 미끼나 좀 걸고 낚시를 하세요."

피곤한 이유

혹시 내가 싫증 났는지 그래서
나와 함께 있으면 지루한 것인지
잠만 자는 널 보면
가끔 그런 생각이 들어.

이럴 거면 왜 날 선택했니
네가 매달려서 만난 건데
이제 와서 내게 싫증 난 거니
너 도대체 언제쯤 정신 차릴래

"아 왜 이렇게 영어교재만 보면 잠이 오지…. 그리고"

그리고…?

"두꺼워서 그런지 푹신푹신하네."

배움에는 정도가 없다.

어떤 일을 하건 일을 하지 않건
무슨 일을 하는 사람이건 간에 배울 점이 있다.

나보다 잘나 보이는 사람에겐 질투하지 않고 배울 용기, 나보다 못나 보이는 사람에게는 나쁜 점을 통해 보이는 보완점으로 인한 나아감을 배울 용기만 있다면,

일신우일신

당신의 인생은 날로 새로워지고 풍요로워질 것이다.

"그것이 골드티어 되기 위해 갖춰야 할 기본이다."

하기 싫은 일을 하라.

버림으로써 얻는 것이 있다.

나 하기 싫은 것들, 그 마음 하나 버리고 하려 하면 그로써 하기 싫은 일에 필연적으로 담겨있는 단점 또한 같이 버리는 일이며, 동시에 장점 하나를 얻으리라. 그리고 하기 싫었던 일은 결국 내가 할 수 있는 일 중 하나가 될 것이다.

"설거지 좀 해라. 철수야"

못한다는 것은 존재하지 않는다.

하지 않는 것일 뿐.

사랑과 호감

동창회에 가서 첫사랑을 만났다.
그리고 고백했다.
네가 내 첫사랑이었지만, 내가 자신이 없어서 주저했노
라고

"멍청아, 그건 사랑이 아니야."

호감과 사랑의 차이는 단순하다.
상대와 나를 재단했을 때,
그 값이 내가 더 낮다고 판단되어 주저한다면 그건
호감이고 그걸 계기로 나 스스로가
성장할 필요를 느낀다면 그게 사랑이다.

단순한 값으로 정해지는
세상의 규칙을 초월하는 그것이야말로 사랑이다.

"넌 그저 내게 호감을 느꼈을 뿐이야."

행동으로 보여라.

"저 이제 정신 똑바로 차리고 호강 제대로 시켜드릴게
요."

삶의 이치를 깨달았다고 다 얻은척하지 말자.
진정한 삶의 이치는 계속 변화하는 것이기에 다 깨달았
다고 할 수 있는 것이 아니며,
삶의 이치를 깨달았다고 해서 신이 되는 것이 아니다.
그저 그제야 진짜 사람이 되었을 뿐이다.
그리고 가장 중요한 건
"그 말 이번 년에 들은 것만 스무 번째다. 철 좀 들어
라. 인마! 입만 살아서는"

무시하지 마라

내가 할 수 있는걸 그가 하지 못한다고 그를 무시해선
안 된다.
나도 언젠가는 하지 못했던 일이고
언젠간 그 사람도 할 수 있는 일이니까.
그리고 역으로 생각해서.
당신이 그것으로 그를 무시한다면
그 또한 다른 이유로
당신을 무시할 수 있다는 것을 깨닫자.
이것은 의식해야 하는 일이 아니며,
당연히 해야 하는 사람을 대하는 법 중 하나다.

명심해라.
당신이 무시할 수 있다면
당신도 무시당할 수 있음을

그러니까
"모솔이라고 무시하지 말아라."

미워하는 마음

미워하는 마음도 관심이 있기에
미워하는 마음이 드는 것이다.

그러니 누군가 당신을 미워한다고 당신 또한
미워하려 하지 말고 먼저 다가가자.

그러면 미워하는 마음이
호감으로 바뀌는 것은 순식간일 테니,

혹시 아는가,
그럼으로써 사랑을 얻게 될지.

"그러니까, 저 너무 미워하지 마세요. 전 그쪽이 좋아
요. 하하."

"방화, 폭력, 살인미수, 성추행, 공무 방해 등등 혐의"
먼저 다가가긴 했다.

철컹

"...로 체포한다."
다만,
사랑은 거절한다.

엄마, 난 프로게이머가 될 거야

누군가 당신을 이해해주길 바라지말고
당신이 이해받을 필요 없을 만큼 성장부터 하자.

만약,

그래도 상황이 더 나아지지 않는다면,
그땐 이해받을 자격이 있다.

그만큼 노력한 거니까.

"나 지금 실버티어까지올렸는데, 컴퓨터 사양이 안 따라
줘서, 더 못 올라가고 있어. 컴퓨터 바꿔줘"

단,

"너 일주일 전에 국회의원 된다고 하지 않았니?"

적당히 해야 한다.
남을 이해하는 법을 모르면서
받기만 하지는 말아야 한다.

연애는 듣고 배울 수 있을지 모르나

사랑은 듣고 배울 수 있는 것이 아니다.

듣고 배운 연애를 삶에 적용하여

실패와 성공의 과정에 얻어지는
경험이야말로 사랑을 가르치는 스승이다.

"철수 씨 연애 한 번도 안해 보셨죠?"

"어, 그그게, 친구들 얘기도 듣고 책으로 배우긴 했는
데…."
"그게 한 번도 안 해봤다잖아요."
"네, 맞습니다. 그래서 싫으신가요?"
이번에도 실패인가….
"아뇨, 귀여우신데요. 책보고 공부하셨을 거 생각하니까"
역시 책이야말로 진정한 스승인가

키보드 워리어

따닥! 따닥!
"젠장, 또 저 국회의원이 문제야?"
"내가 또 혼쭐을 내줘야겠구먼!"
타 다다 타 다 다다!
"세상이 이 모양이니 내가 집 밖으로 나갈 수가 없는
거야!"

스스로 변화하지 않으면서 세상을 탓하지 말자.
세상은 항상 변하고 있으니
나만 변하면 된다.

"이딴 놈들 때문에 사는 게 재미가 없어"

스스로 행복하지 않으려 하면서
행복하지 않다고
투덜대지 말자.

이이제이(以夷制夷)

오랑캐로 오랑캐를 제압한다.
이이제이(以夷制夷)
전략을 사용한다면
힘을 들이지 않으면서 보다 많은 것을 취할 수 있다.

"돌려막기란 그런 이치에서 시작되는 것이다."

불어나는
이자는 어떡할 건데?

"그것은 차차 갚아가면 되는 일"

돌려막기 할 정돈데
차차 갚을 수 있겠어요?
정말로?

"우리가 돈이 없지. 가오가 없는 것이 아니다."

…
빚지고 살지 맙시다.

삼고초려(三顧草廬)

촉한의 유비는 몸을 낮추고 세 번을 찾아가 간청하여
제갈량이라는 인재를 얻었다.

본좌 또한 그대란 사람을 얻기 위해
삼고초려(三顧草廬)하고 있음을
알아주길 바라네.

"거기 경찰이죠? 자꾸 다단계회사에서 찾아와서 그러는
데요."

자, 잠깐
오늘은 이만 돌아가겠네.

방아쇠를 당겨라

"아 거 노친네 말 많네!"
보통 사람들은 불의를 보면 그냥 지나치는 게
요즘 세상이다.
그러나 그들을 욕하지는 않는다.

불의를 행하는 이들은 자신의 행동이 옳다 여기기에
누군가 불의를 보고 나서면 그걸 시비로 안다.
그리고 그런 사람들이 넘쳐나다 보니 아닌 사람들조차
도
열에 둘쯤은 그런 줄 안다.
환경이 그렇게 만들어지다 보니
나서기를 더욱 주저하게 되는 것이다. 하지만,
"아저씨, 말씀이 조금 심하신 거 아니에요?"
누군가가 먼저 방아쇠를 당겨준다면
혹여 어떠한 일이 일어나더라도
주변에 같이 있던 사람들이 도울 것이다.
비록 그들도 먼저 나서지 못했다지만
마음만은 당신과 같을 테니
그 정도 도움조차 외면하진 않으리라
그러니, 모두가 주저한다면
당신이 먼저 방아쇠를 당겨주면 어떨까?

때론 그들도 그걸 보고 배우게 될 것이고 다음에는,

더 많은 사람들이
먼저 방아쇠를 당길 테
배우려 하거든 자세부터 낮춰라.

그대 스스로 자세에 따라
배울 수 있는 깊이의 정도가 달라지리라.

"그게 지금 책상에 고개를 처박고 자고 있던 이유로 충
분하다고 생각하는가,
철수 군?"

함부로 거짓을 말하지 말아라.

거짓이라는 것은 남에게 상처를 주기도 하지만,
더 큰 상처를 주는 대상은
바로

자신이다.

"와 진짜, 선 넘어오지 말라고 했다고
진짜 안 넘어오냐?"

남녀가 한방에서 단둘이 자는데?
진짜로?

"에라, 네가 남자냐"

두려움을 마주하라

두려움.

두려움은 어떻게 보느냐에 따라
앞날을 예측할 수 있다.

마주하라

두려움을 회피하지 않고 마주하는 순간

보다 객관적으로 상황을 바라보게 되고,
두려움으로 인해 지나쳤던 많은 정보들을 얻을 수 있다.
그러면 그걸 통해서,
보다 나은 예측을 하게 되고,

다가올 미래에 조금 더 나은 선택을 할 수 있게 되지 않을까?
그리고 두려움을 마주하라는 것이지

"오늘 새벽 카레이싱 챔피언 김철수 선수가, 교통사고로 사망했습니다. 경찰에 의하면, 김 씨는 음주운전을 했던 것으로 밝혀졌으며…."
위험에 대해서 조심하지 않아도 된다는 건 아니다.

노력왕 김철수

나는 스스로 장점을
인지하고
자랑스러워하면서도
의심한다.

이게 진짜 장점인지.
더 보완할 점이 없는지.
완벽한 건 존재하지 않는다고 믿는다.

그러나 완벽해지려 노력한다면
보다 완벽에 가까워질 순 있지 않을까.

"그게 네 결벽증의 이유였냐. 김철수"

스토커가 아님 뭔데

혹시 알고 있나요.

자꾸 우연히 마주친다는 거.

다른 길로 가면 훨씬 빠를 텐데
그 길로 가고,

일찍 가버리면 놓칠까 봐서
괜히 편의점이나 화장실 가서 기다리다 나오고 그러다

어쩌다 얼굴 한 번 더 마주치게 되면

당신에겐 별일 아닐 텐데
이런 내가 이상해 보일까 숨게 되고.
오해는 말아요.
다만 당신을 좋아할 뿐

스토커는 아니니까.

"이런 들킨 건가?"
경찰인 모양이군
감시당하고 있었나.

고슴도치 2

세상이 나를 외면한다고,
밀어낸다고 생각했다.

하지만,
내가 세상을 외면하고 있었고,
밀어내고 있었기에
다가오지 못하고 있었던 건가 보다

"콩지가 웬일이야? 철수 네가 만져도 안무네? 으르렁거
리지도 않고"

가치와 행복

살다 보면 어느 순간 찾아오는 게 있다.

사랑,
돈,
가족,
명예

어떤 목적이 생기고
그 무언가를 위해 이러한 것들을
간절히 원하게 되고 그걸 계기로 인해 나아가는 것.

그것이 바로 나를 살아가게 하는 가치이며 행복이다.
나는 그것을 얻었다.
그렇기에

"오빠, 나 임신했어."

비로소 나는 진짜,
어른이 되었다.

어른이 순수하지 않은 이유

누군가는 어른이
순수하지 않다고 한다.
그러나 순수함은 대개 옳으나
달리 생각하면 그 방향이 잘못되었을 때
스스로 제어력을 잃을 수 있다.
어른들은 순수함을 잃어버린 게 아니라.

순수함을 스스로 제어할 능력을 얻은 것뿐이다.

동시에 어른이 어른인 이유는
그 통제할 수 있으므로 순수한 어린아이들이 스스로 통
제할 수 있을 분별력을
갖추기 전까지 이끌어주기 때문이다.

"다만 무늬만 어른인 사람들이 그 이미지를 망칠 뿐"

양치기 소년이 되지 마라

"엄마 이제부터는 호강시켜줄게…."

"철수야, 그 말 이번 년에만 스무 번짼데 호강은 언제
시켜줄 거니?"
양치기 소년의 얘기를 보듯
워낙 말뿐인 사람 투성이라,

사람들은 말에 신뢰하면서도 이면에 실망하지 않기위해
기대를 하지 않으려 하며 자기방어를 한다.
하지만 행동으로 보여주는 일은. 신뢰가 필요 없다.
이미 이루었는데

더 무슨 말이 필요하며
더 무슨 신뢰가 필요할까.

동시에 행동에 대한
확신이 있다면,
중간중간 결과물을 보여주는 것도 좋다.

그로 인해서 얻는 것은
사람들의 신뢰와.
동시에 나 자신이 할 수 있다는 믿음
두 가지다.

청년실업

이놈의 세상은,
스펙, 경력을 너무 따진다.
그리고 더 짜증 나는 건 그보다 위에
인맥이 올라서 있다는 거다.
나도 인맥만 좀 됐으면 너희들처럼
대기업 들어가서
외제 차 몰고 다녔을 텐데 말이야.
신은 진짜 불공평해

"저기, 제가 정말 잘 몰라서 그러는데 대기업이란 건 신
이 만들어둔 기업인가요?"

좋은 직장,
더 나은 연봉이란 정해져 있지 않다.
진정 준비가 되어있는 자는
좋지 않은 직장에 들어가서도
그 직장을 좋은 직장으로 만들어내고,
더욱더 나은 연봉을 스스로 쟁취해낸다.

일자리가 왜 없는가?

차고 넘치는데 눈이 너무 높아진 건 아닌지 되돌아보자

꼭두각시 인형

슬픈 일, 괴로운일, 짜증나는일.
온갖 안 좋은 일들.
솔직히 견뎌내기 힘들지만
그런 일이 있기에 온갖 기쁜 일들이 더욱더 가치 있게
다가오는 것일 수 있다는걸.

너무 연연해 하지 않고
그저 지나치고 흘려보내려 한다.

"철수야, 왜 인형을 바늘로 찌르고 그러니?"

할아버지, 할머니

"아 노인네 거 되게 시끄럽네!"
힘이 없다고,
걸음이 느리다고,
때론 주변 눈치 신경 안 쓰는 모습까지
힘이 없는 건 당신이 지금까지 살아오면서 써온 모든
힘보다 더 많은 힘을 사용해, 몸에 그 고됨이 역사하고
있는 것이고,
걸음이 느린 것은 마찬가지로 당신이 평생 걸은 걸음의
배로 이 땅을 걸으셨으며,
주변 눈치 신경 쓰지 못하는 건 귀에도, 눈에도 그런
고됨이 묻어 그분들끼리의 방식이 된 걸 수도 있다.
"이봐 김 씨 들리나? 안 들리는가? 기임~씨!!"
살아온 세월이 당신의 배는 되는 분인데, 과연 우리가
무시하는 것을 알지 못할까,
그분들이라고 상처받지 않는 것은 아니다. 그만큼 상처
에도 내성이 생긴 것일 뿐.
그만큼 받은 상처, 조금 덜 받아야 할 분인데 그 마음
에 상처를 더 하지 말아라.
무거운 짐은 들어주고, 걸음을 맞춰주는 것, 잠깐 공중
예절 같은 것 잊어주는 것.
우리가 먼저 실천한다면,
우리가 나이가 들어 힘에 부칠 때,
누군가는 우리의 힘이 되어주지 않을까.

여유와 느긋의 차이

시간은 금보다 더 귀하지만,
굳이 서두를 필요는 없다.

빠르면 누구보다 먼저 도달해

시간을 아낄 수 있지만,
느리면 누구보다 많은 것을 볼 수 있으니

그것은 느린 것이 아니라,
여유로움이다.

다만,

"그러니까 느긋하게 좀 들 삽시다. 왜 그리들 힘들게 살
아?"

여유와 느긋은 다르다는 건.
느긋함은 느리면서 많은 것을 놓치는 일이다.

어차피 안 들리잖아?

우리 남편은 예전에 택시기사를 오래 했었다.
그래서인지 운전 솜씨가 좋다.
그래서인지 다른 사람들처럼 화를 내도
어느 정도 맞는 말이라 납득하게 된다.
그래서,
"아 진짜, 운전 더럽게 못 하네. 어차피 거기서 빠질 거
면 거기선 왜 끼어드는 건데?"
그래서,
나는 운전할 엄두가 안 난다.
면허가 있음에도.
그리고
"또, 아줌마겠지 뭐"
그래서,
나는 운전할 엄두가 안 난다.
누군가 남편처럼 말할까 봐….

"봐 아줌마잖아?"

후방필승

상대에게 지는 것이야말로
진짜 승리하는 것이다.

"저기 그냥 합의해주시면 안 될까요? 술 먹고 정신없어서 그런 건데…. 제발요. 그리고…."

그래도 정말 참을 수 없다면

"제가 먼저 때리긴 했지만, 나중엔 제가 더 맞았는데…."

선방은 맞아줘라.

"그건 정당방위였다."

옳은 일을 하는 것에 부끄러워하지 마라

"아저씨, 그래도 어르신인데 말씀이 좀 지나치신 거 같
네요."

스스로 옳다고 생각하는 일을
하는 것에 부끄러워하지 않는다.

옳은 일을 하는 것에 부끄러워해
회피하는 것이야말로
진정 부끄러워해야 할 일 아닌가?

혹여,
행한 일이 나중에 옳지 않았다고 느껴진다면
잘못을 인정하고 고쳐나갈 것이다.

분명 옳은 일이라는 것은
상대적이지만 이것저것 상황을 제고 옳은 일을 행한다
면,
누가 옳은 일을 하겠는가?

"저기 학생, 우리 친군데?"

죄…. 송합니다.

눈치 게임

"그렇게 자신 있으면 네가 먼저 해보던가."

먼저 앞서서 한다는 것,

말은 쉽지만
사실 실천하기는 어렵다.
이 일의 옳고 그름도 따져야 하고
그 외에도 사람들의 시선 등
여러 가제 요소들을 신경 쓰게 되니까.

그럴 땐
내가 하지 않으면 아무도 하지 않을 것이다.
라고,
선택지를 일부러 줄여보는 것은 어떨까?

"일!"
...
이!
삼! 삼! 아, 걸렸다,

촉이 온다.

"사랑해 여보."

진심이 담기지 않은 말은 하지 않는 것만 못하다.

그건 결국 거짓말일 뿐일 테니.

"너 바람 피우냐?"

돈이 많다고 사람을 무시하지 말아라,

돈보다 사람이 더 중요한데,
돈에 기대 사람을 무시하는 이는,
돈보다 못한 존재가 되는 것이다.

"야 철수 어디 갔냐?"

"몰라. 보나 마나 또 계산하기 싫어서 몰래 집에 갔겠지."

흠.

배움의 자세

배우는 자세를 갖추는 것은 어렵지 않다.
스스로를 낮추고
상대에 맞추는 것이 기본이다.

하다못해 길 위의 돌멩이조차도
내가 배우고자 한다면 배울 것이 있다.

"세상에 저런 일이에서 나왔는데요? 철수 씨가 돌멩이
와 대화를 나눌 수 있다고 하던데 사실인가요?"

때론 잃음으로써 더 많은 것을 취할 수 있다.

"어라? 편지네? 누가 쓴 거지."

[아버지. 아무리 이혼하셨다지만, 여자 좀 적당히 만나고 다니세요. 나이트도 제발 좀 적당히 가시고요]

―아들 철수가

철수가 대충 사는 이유

계획이라는 것은
결국, 어떤 일을 이루기 위함인데,
그 방법이
꼭 하나만 있는 것이 아니다.
때론 상황에 따라 임기응변으로
대처해야 하는데
너무 세세한 계획은 때론
그 임기응변을 가로막기도 한다.

"그래서 본론은?"

그러니까,

"어머니, 저 김철수는 대충 사는 것이 아니라, 상황에
따른 임기응변을 발휘해⋯."

그렇기에
계획은 큰 틀만 짜놓고
나머지는 여러 상황에 대한 대응법만
생각해두는 것이 좋다.

"그게 네가 지금 전역한 지 십 년째 백수인 이유였더
냐."

굳이 부술 필요는 없다.

쉴새 없이 달리고 달리다 보니,
벽 하나가 내 앞을 가로막아 섰다.
평탄한 길만 밟아오던 내 앞을
난데없이 막아선 벽 하나
망치로 내리쳐도 부서지지 않는 두꺼운 벽
어떻게 해야 할까. 고민하고 있을 때
거북이가 나타났다.
어느새 저 느림보한테 따라잡힌 건가.
하지만 너도 별수는 없을 거다.
거북이가 말했다.

"이 멍청이야, 돌아가면 되잖아."

어느 동화 속 이야기

'서둘러. 조금 있으면 열 두 시야'
조금 더 있고 싶지만,
나는 가야만 해요.
마법이 풀리고
내 원래 모습을 본다면,
당신이 실망하게 될 테니까.
안녕…….
..
보는 순간 알 수 있었다.
그녀가 굳이 유리구두를 신어보지 않아도.
그녀란 걸.

"후회할 일을 만드는 일 어쩔 수
없는 일이지만 같은 일로 두 번 후회하는 건 미련한 일
이라고 생각합니다."

이번에는 도망쳐도 붙잡을 겁니다.
신데렐라.

후회를 통해
다음에 어떻게 해야
이런 일이 없을까를 판단하고 넘어가야 한다.

진심이 전해지는 이유

말을 하지 않아도
느낄 수 있는 것도 있지만
직접 말로 해야 할 때가 있다.

"미안해. 고마워. 사랑해."

물론 어렵다.
누군들 쉬워서 하는 줄 아는가.

처음도 어렵지만 두 번째도 쉽지 않다.

사람들은 그 말을 하는 것이
쉽지 않다는 걸 알기에
그 말에서,
진심을 느낄 수 있는 것이다.
알았니, 철수야.

"엄마, 배고파"

네가 차려 먹어.

생각이 나쁜 건 아냐, 단지

야! 너 저 여자 보면서 무슨 생각 했어.

"아냐, 그냥 쳐다본 거야."

이상한 생각 했잖아!

"아냐, 정말 안 했어."

'그래 좀 했다. 근데 바람 핀 것도 아니고 생각 좀 하는 게 나쁜 거냐?'

..

"저기 그동안 멀리서 지켜봤는데 그쪽 마음에 들어서 그러는데 괜찮으면 번호 좀 주실 수 있을까요?"

"저번에 보니까 여자친구 있으신 거 같던데…?"

"아, 헤어졌어요."

'그래. 결혼할 사이도 아닌데, 바람 좀 피우면 어때?'
..

.

생각하는 그거 자체로 죄가 될 순 없지만,
죄악의 시작은 생각에서부터 온다.

도움을 받는 태도에 대해

아 힘들어 죽겠네. 진짜

"저기, 힘들어 보이시는데 좀 도와드릴까요?"

..

아 드디어 끝났네.

힘들어 죽는 줄 알았네! 진짜.

잘 버텼다! 김철수.

"저기. 철수 씨 수고하셨어요."

"아, 네. 뭐 사실 굳이 안 도와주셔도 혼자 할 수 있었
는데."

도움은 부끄러운 것이 아니다.
진정 부끄러운 것은
도움을 받은 뒤에 감사할 줄 모르는
것이다.

깨달았느냐

속세를 벗어나 수행하여
열반에 드니 부처께서 나를 기다리고 계셨다.
그분이 물으셨다.

"깨달았는가?"
자신 있게 예. 라고 답했다.

"스스로 깨달았더냐?"
글쎄…. 스스로 깨달았던가….
문득.
내가 이 질문에 어떠한 해답도 내리지 못하고 있다는
것을 깨달았다.
아, 나는 착각하고 있었구나.

"네가 스스로 깨달았다고 생각하는 모든 일은 결국엔
너의 주변인들의 수많은 손길이 모여 이루어졌다는 것
을 깨닫는다면, 그때 다시 오르거라."

부처께선, 그 말과 함께 나를 다시 속세로 돌려보내셨
다.
시간이 흘러 다시 열반에 든 어느 날,
부처께서 물으셨다.

"무엇을 알았더냐?."

속세 또한 자연 일부임을 알았습니다.

"깨달았는가."

나는 대답했다.

"저는 결코 깨닫지 못함을 알았습니다."
"이제야 비로소 그대가 도를 이루었구나."

대답하지 못한 이유

"야 오늘 피시방 가자."
"듀오 콜?"
한심한 것들,
하긴,
게임이나 빠져있으니 니들 성적이 그 모양이지
그 시간에 공부했으면 등수가 오르고
니들 미래가 변한다는 걸 모르느냐.
허? 멍청이는 그림이나 그리고 앉아있네.
쯧쯧. 그래서 어디 사.자 직업군에 발이나 걸칠 수나
있겠냐.
세상 물정 모르는 것들.

"철수야. 이 아비는 네가 주변 사람들이 바라는 삶이 아닌, 네가 원하는 삶을 살길 바란다."

아버지. 이 세상이 어떤 세상인데 그런 태평한 소리나
하고 계실 겁니까. 그리고 전 공부가 좋습니다. 이게 제
가 원하는 삶이라고요!

"그러고 보니…. 철수 넌 어렸을 때 노래 부르는 걸 참
좋아했었지…."

…

왜 난 아무 대답도 하지 못했을까.
왜지?

현기증 난단 말이에요.

이 마음이 어디서 시작되었을까,
너를 그리워하고,
너를 보고 싶지만,
자꾸만 커지는 마음에도,
아직 때가 되지 않았음에,
스스로를 바로잡게 되는,

아마,
너를 처음 본 순간.
그 순간부터였을까.

쉬는 시간 종이 치는 순간,
나는 오직 너를 만나기 위해
달리고 또 달렸다.
그리고 마침내 그곳에 도달해. 너를 보며 외쳤지.

"아저씨. 딸기우유 하나만 주세요!"

빨리요

나의 그대, 나의 신

이 삶이 끝나기 전에
당신께 닿을 수만 있다면,
난 그걸로 족하리.

이 삶이 끝나는 순간까지
당신과 함께할 수 있다면,

그보다 좋은 끝이 어디 있을까.

"치느님이시여…. 영접하게 되어 영광이나이다."

집착은 폭력이다

남친이 의심스럽다.
폰을 보여달래도 자꾸 보여주지 않더니,
얼마 전에는 패턴까지 걸어났다.
그리고 전화가 오면 자리를 피해서 받고,
여자가 생긴 게 틀림없다.
이대론 안 되겠어.
"너 휴대폰 안 보여주면, 나 오늘부터 너 안 볼 거야."
남친이 패턴을 풀고
조심스레 내민 폰을 건네받아
메시지부터 확인했다.

[XX 캐피탈입니다. 대출상환일이 지났는데도 정상납부가
되지 않아 연락드렸습니다. 통화 가능한 시간에 연락
바랍니다]

"몇 달 전에 아버지 회사가 부도나서…. 빚을 좀 졌
어…."

순간 깨달았다.
이게 집착이라는 거구나….
집착으로 인해서 내던져버렸던 그 배려와 이해를 생각
하니,

내가 사랑이라고 생각하며 행했던,
그러니까, 집착은
그저
폭력이었다는걸.

행복의 수치

'철수야. 이 아비는 네가 주변 사람들이 바라는 삶이 아닌, 네가 원하는 삶을 살길 바란다.'

[회장 김철수]

아버지가 틀리셨습니다.
보이십니까. 저는 이 세상의 정점에 올라.
모든 부귀영화를 말 한마디로 누릴 수 있습니다.
아버지가 틀렸다고요!
그렇게 누워 계시지만 말고 무슨 말씀이라도 좀 해보세요!

[삐·삐·삑─]

"저희 아버지는 그렇게 아무 말씀 없이 돌아가셨습니다. 결국, 자신이 틀리셨다는 것도 모른 채요. 강의는 여기까지 하겠습니다. 질문 있으십니까? 네 거기 학생."

그럼 회장님은 누구보다 많은걸 얻으신 거죠?

"네, 전 세상 누구보다 많은 것을 얻었고, 또 가지고 있습니다."

그럼…. 회장님은
세상 누구보다 행복하신가요?
끊임없이 소망하면 이루어진다

끊임없이
바라고 바라다보면
언젠가는
원하는

장소,
시간에서

당신을 볼 수 있지 않을까,

그래서 나는 바란다.

언제고,
어디서든
당신을 만날 수 있기를.

"와! 별똥별이다! 야 철수야 소원 빌어!"

벌써 빌고 있다

친구. 난 이미 예상하였다네.

Why, How

"나는 할 수 없을 거야."
틀에 갇혔다면,

Why
왜 할 수 없지?
틀을 분석하고.

How
어떻게 하면 할 수 있을까?
답을 궁리하라.

Why
왜 나는 모쏠인가

How
어떻게 하면 사귈 수 있을까?
…
"답이 안 보이는데?"

세상을 바꾸는 법

링컨, 에디슨, 간디
나는 그들처럼 세상을 바꾸는 사람이 되길 소망했다.
그리고 역사에 이름이 새겨지기를 바랐다.
'어떻게 하면 세상을 바꿀 수 있을까.'
내 하루의 모든 생각은 그것으로 가득 차 있었다.
그러나 아무리 고민해봐도 답이 나오질 않았다.
그래서 절을 찾아갔다.
스님 어떻게 하면 세상을 바꿀 수 있습니까.

"우선 스스로부터 바뀌어야지요."
솔직히 알아듣지는 못했지만,
난 달라졌다.
집에서 컴퓨터만 하던 전과 달리
밖에 나가 운동도 하고 취직을 하고 나이가 들어 지금
의 아내를 만나 결혼을 해 가정도 이루었다. 바삐 사느
라 세상을 바꾼다는 생각은 잊었지만, 나이가 들어 은
퇴하고 난 뒤, 그 날의 일이 떠올라 절을 찾았다.
스님. 늦었지만 세상은 어떻게 바꾸는 거였습니까?

"시주. 세상은 이미 바뀌었습니다."
..? 솔직히 또 알아듣지 못했고
난 다시 물었다.
무슨 소리냐고

"시주께서 달라지지 않았습니까."
그제야 알았다.
아,
나는 세상을 바꾼 사람이구나

진리에 도달하는 법

"당신, 요새 이상해"
의심하라.
의심하고,
또 의심해서
옳다 생각하는 길만 가라.
"이상할 정도로 예뻐졌어."

그리되면
스스로
가장 바라는 곳에 닿을 수 있으리라.
"근데 말이야."

끊임없는 의심은 진리에 닿는 방법의 하나다.
"용돈 좀 올려주면 안 될까?"

아이들의 순수함을 배워라.

철수 작가님 안녕하세요.
저는 유치원 선생님이고요. 작가님 팬이에요.
유치원 선생님이 된 지 얼마 안 되었을 때 일이에요
어떤 만화를 시청하다가 주인공이 길을 잃는 장면이 나왔는데
문득 아이들 생각이 궁금해지더라고요.
그래서,
'해님반 아이들은 길을 잃으면 어떻게 할 건가요?'
며칠 전에 경찰분들이 교육하고 가셨던지라,
대부분
'주변에 도움을 청해요, 112에 전화해요.'
같은 답변들이었어요.
저도 사실 그게 정답에 가깝다고 생각했고요.
그런데, 아까부터 우물쭈물하고 있던 아이가 갑자기 벌떡 일어나서
'아니에요! 다 틀렸어요!'
라고 소리치더라고요.
저는 호기심이 들어 그럼 넌 어떻게 할 거냐고 물었죠.
'길을 만들 거예요!'
나름 호쾌하면서 재밌는 대답이구나 하고 넘기려고 했죠.
그런데 아이가 이어서 말하더군요.
'다른 사람들이 뒤따라올 수 있게요!'

라고,

참, 재밌지는 않나요? 작가님?

물론 힘들 때도 있지만, 이런 아이들을 보고 있노라면 유치원 선생님 하길 잘했다는 생각이 들어요.

미래를 바꿔나갈 영웅들의 선생님이라는 게요.

제 얘기는 여기 까집니다.

아! 작가님 혹시 제 얘기 당첨되면 신작 보내주실 때 사인한 장만 같이 부탁드릴게요!

꼭 이요!

자유로움

나는 가끔 혼자서 여행을 떠나곤 한다.
많은 것을 보고,
느끼고
다양한 사람들을 만나고,
그럼으로써 가장 크게 배우게 되는 것은,
나란 존재는,
언제고 이렇게 모든 것을 내려놓고
자유로워질 수 있는 존재라는 것이다.

우리는 자유를 구속받고 있는 것이 아니다.
스스로 좀 더 가치 있게 살기 위해 절제하고 있을 뿐.
원하면, 언제고 어느 때고 자유로워 질 수 있다.
"자유 같은 소리 하고 있네. 그러니까 너 지금 야자 하기 싫어서 조퇴한다는 거 아니야?"
"아뇨. 그저 자유…."

수신제가치국평천하(修身齊家治國平天下)

 "나는 수신(修身,) 몸가짐을 바로 하여 몸과 마음을 다스리고, 그리하여 제가(齊家), 화목한 가정을 이룸이요 그 덕으로써 치국(治國) 나라를 다스리니, 끝에는 평천하(平天下) 그로써 천하를 평화롭게 하리라."
  ...
  ..
  .
 탁!
"아야! 엄마 왜 때려요."
"수신이고 나발이고, 프로게이머 하겠다고 컴퓨터 바꿔 달래서 바꿔준 게 며칠 된 지는 아느냐. 아드님아?"

"이틀?"
"정확히는 하루 하고 반나절이다. 그래, 이번엔 아드님이 뭐가 하고 싶으신 건가요?"
"대통령이요"
"철수야."
"네?"
아니다. 꿈은 클수록 좋지.
이번엔 며칠이나 갈까?

그녀의 이름은 김영희

잃어버렸었다.
그런 것 따위 없었던 것처럼
분명 내 것이었는데 어쩌다 잃어버린 걸까.
잊어버렸었다.
그런 게 있었다는 것조차도
분명 누군가는 알아주었는데
어느새 잊혀버린 걸까.
"김영희, 오랜만이다."
김영희? 아, 그게 내 이름이었었구나.
언제부터 잃었고 또 잊혔었는지,
기억이 잘나지 않는다.
하지만 그런 것 따위 없어도 좋다.
"어머, 안녕하세요. 철수 어머니?"
이제 내겐 새로운 이름이 있으니까.
그저 두려울 뿐이다.
"아씨, 죽었잖아! 안드로메다 님 안 도와주시고 뭐 하셨
어요."
저, 진상을 언제까지 봐야 하는지가 나는,
두렵다.

상처의 대가

그저 먼발치서 바라만 봤을 뿐인데
그것조차 허락되지 않는 건가요
도무지 이해가 되질 않아요
꼭 그렇게까지 해야 했는지.
바라만 보는 게 그렇게 큰 잘못이었던 건지.
기억해요.
당신이 내게 준 이 상처의 대가
어떻게든 받아낼 거니까.
그래서 내게 상처 준 걸 후회하게 만들 거예요.
"삼백이요? 아니, 제가 때린 건 잘못인데, 아저씨가 먼저 저 기분 나쁘게 쳐다보셨잖아요! 먼저 시비 걸어놓고 맞으니까. 삼백만 원을 달라고요? 너무하신 거 아니에요?"
싫으면 빨간 줄 긋던가?

깨달음의 순간

비행기조차도
다시 날아오르기 위해
잠시 쉬어가야 한다.

때론 아무것도
하지 않음으로써,
얻어지는 게 있다.
명상이 따로 있는 게 아니다.

모든 것을 내려놓고 지친 몸과 마음을
쉬어주는 순간이,
바로 깨달음의 순간이다.

"기각. 그게 네가 5년째 집구석에 처박혀 먹고 자고 싸
는 걸 반복하는 이유로 충분치 않다."
"비행기조차 다시 날아오르기 위해 잠시 쉬어가야…."
"김철수."
이 어미가 하나 가르쳐주마.
명상이 따로 있는 게 아니다.
나이 먹고도 정신 못 차릴 땐
맞아야 정신 차리는 그 순간이

바로 깨달음의 순간이다.

"그 깨달음. 죽기 직전까지 맞으면 선명하게 보일 거다."

지피지기백전백승(知彼知己百戰百勝)

오늘 나는 큰 싸움을 앞두고 있다.
상대에 대해서 분명히 알고 있으며
나를 알고 있으니, 백번을 싸우더라도 백번 모두가 승리하리라.
가자, 김철수
오늘의 승자는 네가 될 것이고,
역사엔 김철수라는 이름 석 자가 기록될 것이다.
"야, 야, 철수 쟤 또 왜 저러냐?"
"쟤, 옆 반 은미 때문에 그럴걸?"
"오오, 고백하는 거냐?"
"아니, 싸우러 가는 거야. 어제 은미한테 맞았다고 복수한다나 뭐라나"
..여자랑…?
"철수가 질 텐데…."

이별의 순간

내 말 똑똑히 들어요.
당신이랑 나랑은 오늘부로 끝이에요.
여기 서명하고
그동안 당신이 내게 줬던 거 전부 다시 가지고 가버려
요.
뭐? 이자?
하, 당신이란 사람은 정말.
알았어요.
이자도 쳐서 돌려줄 테니까,
빨리 서명이나 해요.
지긋지긋해 정말.
"적금 만기 되신 거 축하드려요. 김철수 고객님! 수령은
계좌로 하시겠어요?"

하지 마. 절대

요새 젊은 사람들을 보면
열정적인 사람들이 많다.
부끄럽지만 나는 사춘기가
길어져서 그 나이 때도
속만 썩이고 다녔는데,
그런 그들의 모습이
자꾸 포기하려고 하는
나약한 나 자신을
채찍질하게 해준다.
나는 왜 그때 그렇게 못했겠느냐는
생각에 약해질 때도 있지만
나는 그때 그렇게 못했기 때문에라도
그들보다 더 열심히 해야 하지 않겠느냐고,
"철수 과장님 무슨 생각 하세요?"
음. 그냥.
"어렸을 때, 첫사랑 생각. 왜 고백을 못 했을까에 대해서?"
왜, 다들 그런 첫사랑쯤은 있잖아
"어라? 과장님. 결혼하시지 않았나요?"
했지. 결혼
"그때 고백했으면. 안 할 수도 있었을 텐데…."
"네?"
신대리. 결혼 안 했지?

141

"예. 과장님. 아직 이요."
잘했어. 하지 마. 그거

선생님?

선생님, 저희 철수 때문에 걱정입니다.
하라는 공부는 안 하고
게임방송을 하겠다고 했다가, 며칠 뒤에는 프로게이머를
한다더니 그제는 대통령에 오늘 아침에는 갑자기 가수
가 하고 싶다고 하네요.

"철수 어머니, 원래 그 나이 때 아이들은 꿈이 자주 바
뀌어요. 물론 철수는 좀 과하지만 그게 다 재주가 많아
서 그런가 아니겠어요?"
...그렇죠? 저희 철수가 공부를 안 해서 그렇지 똑똑한
애거든요.
"맞아요. 어머니, 좀 지켜봐 주세요. 왜, 굼벵이도 구르
는 재주가 있다잖아요?"
...?
네?
선생님?

김 대리의 이야기

김 대리!
김 대리! 기임대라! 김 대리!
....
pm·6:16
김철수는 지친 몸을 이끌고 지하철에 올랐다.
그의 와이셔츠는 온통 땀에 젖어 몸과 착 달라붙어 있
었고
아침에 아내가 예쁘게 매준 넥타이는 풀어 헤쳐져 바닥
에 닿을 듯 말 듯 했다.
"그래. 그래. 허허허!"
순간, 지하철을 울리는 소리에 철수가 고개를 돌리자
노약자석에 노인분들이 웃으며 이야기를 나누고 계셨다.
크게.
평소라면 그냥 넘어갔을 김 대리지만,
오늘은 왠지 짜증이 났다.
도대체 공공장소 에티켓도 모르는 것인지
나이가 들었으면 더 잘 알아야 하는 그거 아닌가?
등 여러 생각이 머리를 채웠고,
어느 순간,
자신도 모르게
"아 진짜 거 노친네 되게 시끄럽네!"
하고 소리치고 있었다.

그리고 순간, 지하철엔 정적이 찾아왔다.

강 노인의 이야기

요새 나이가 들어서인지 귀가 좀 어둡다.
지난달에 아들이 보청기를 사주었는데도 잘 안 들리니,
솔직히 말해 조금 답답하다.
그러다 보네 친우들과 대화를 나눌 때 목소리가 커졌던
모양이다.
내 목소리도 잘 안 들리니까,
그리고
다른 노인들도 나처럼 귀가 어두우니,
크게 말하지 않으면 알아듣질 못해서.
변명이라면 변명이지만 나름대로 이유가 있었다.
목소리가 너무 커졌던가….
"아 거 노친네 되게 시끄럽네."
막내아들 나이쯤 되었을까 싶은 청년이었다.
그리고 보니 지하철을 가득 메운 이 땀 냄새가 그 청년
에서 나는 것이었다.
..
얼마나 힘들게 일했기에
이 선선한 가을 날씨에 땀을 그리도 흘렸을까,
또 얼마나 열심히 했기에.
지치고 지쳤을 텐데 괜히 내가 거기에 피해를 준 것 같
아 미안해졌다.

"미안하네…."

진리.
잡으려 하면 도리어 놓치게 된다.

－노자 64장에서

"철수야 언제까지 놀고먹기만 할 거니"
아무것도 가진 게 없었기에
"엄마, 난 대통령이 될 거야."
"엄마, 나 이번엔 게임방송 BJ가 될래."

모든 것을 가지는 꿈을 꾸었고,

"나 프로게이머 될 건데 컴퓨터가 너무 구려. 바꿔줘."

어떻게 하면 그 모든 것을 손에 넣을 수 있을지
끊임없이 고민했다.

[회장 김철수]
그리하여 진리에 닿았노라.

딱딱한 생각 깨부詩

지 은 이 장승주
펴 낸 이 김홍열
디 자 인 김예나
영   업 윤덕순

종이책발행 2023년 10월 5일
펴 낸 곳 율도국
주   소 서울시 도봉구 도봉동 609-32 (3층)
출판등록 2008년 07월 31일
전   화 02) 3297-2027
팩   스 0505-868-6565
홈페이지 http://www.uldo.co.kr
메   일 uldokim@hanmail.net
I S B N 9791192798073 (03810)